国家出版基金项目
NATIONAL PUBLICATION FOUNDATION

《三联经典文库》

第二辑

2012年国家出版基金项目

三联经典文库

138

宪法论初步

潘念之 著

生活·讀書·新知 三联书店

图书在版编目(CIP)数据

宪法论初步 / 潘念之著. -- 北京 : 生活・读书・新知三联书店, 2014.1
（三联经典文库第二辑）
ISBN 978-7-108-04660-4

Ⅰ. ①宪… Ⅱ. ①潘… Ⅲ. ①宪法 – 法制史 – 研究 – 中国 – 民国 Ⅳ. ①D921.02

中国版本图书馆CIP数据核字(2013)第246798号

138 宪法论初步

责任编辑 邵慧敏
封扉设计 蔡立国
责任印制 郝德华
出版发行 生活・讀書・新知 三联书店
(北京市东城区美术馆东街22号)
邮　　编 100010
经　　销 新华书店
印　　刷 北京鹏润伟业印刷有限公司
版　　次 2014年1月北京第1版 2014年1月北京第1次印刷
开　　本 787毫米×1092毫米 1/32 印张 3.25
字　　数 40千字
定　　价 13.00元

《三联经典文库》出版缘起

适逢生活·读书·新知三联书店八十华诞，为弘扬传统，接续文脉，回报读者，服务社会，我们决定策划出版《三联经典文库》。

1932年7月，生活书店在上海创办，此后，读书出版社和新知书店相继成立。本文库第一辑、第二辑所选图书，来自于这三家出版单位及其分支机构，以及1948年生活·读书·新知三联书店成立后的出版物，始于1932年，截至1951年，两辑各一百种。此为第二辑，涉及政治、经济、社会、军事、思想文化诸领域，涵盖专著、文集、散文、小说、诗歌、传记、报道等体裁，既有直面现实、追求真理、讴歌真善美、抨击假恶丑的原创作品，又有引介世界各国先进文化、传播新知、开启民智的迻译之作，真实记录了那一代知识分子的思考与探索、理想与愿景和对中华民族文化传承与创新所做出的努力与贡献。

本文库所辑入各书，多为名家名作，在版本方面，以初版一印本或经著译编者审定、修订、增订过的版本为首选，因此本文库又具有较为珍贵的版本价值和收藏价值。

本文库还将编选续辑，使之成为恢弘文化工程。诚挚希望读者给予批评和指正，帮助我们完善编选工作，再现三联经典作品之风采。殊为遗憾的是，由于年代久远，一些原著译编者及其后人未能取得联系并奉付稿酬，诚盼版权所有者与我们联系。祈愿三联前辈所创造的精神财富能薪火相传，为中华文化的伟大复兴增光添彩。

《三联经典文库》编辑委员会

2013年8月

凡　例

一、本文库为重排本，由繁体字竖排版改为简体字横排版。

一、以忠实于原作、整旧如旧为编辑原则，对当时使用的专有名词、外文译名，以及民国时期的语言和特色予以保留。

一、原书注释如旧，编者所出的注释，均以“编者注”标明，以示与原书注释的区别。

一、对原书残缺或字迹漫漶之处，以□示代。

一、对繁简文本转换时的“如右”、“见左”一类，对应改为“如上（前）”、“见下（后）”。

一、对原书中各种错讹脱衍之处，直接订正，不再以其他符号标示。

一、对数字、标点符号的用法，在不损害原文语义的情况下，做必要的规范。

一、本文库各书均前插原书书影、原书版权页和文库版“本书出版说明”。

一、本书出版说明的撰写，以客观中立为原则，扼要介绍本书的内容、版本流转、著译编者的情况。

本书出版说明

本书旨在普及宪法与宪政的基本知识，并评介中国的制宪运动和“五五宪草”。全书共分三部分：第一部分介绍宪法的特性、内容、形式及其制定与修改；第二部分剖析宪法与宪政的关系，包括宪法的政治意义、宪法的社会基础、现代宪法——资本主义宪法的本质和危机；第三部分分析中国的宪法，概述中国制宪运动的发展历史及特点，并从三民主义和制宪目的两个角度分析评价“五五宪草”。

本书由生活书店于 1940 年 7 月初版，此次出版即以此版本为底本。

潘念之（1902-1988），新昌人。1928 年，就学于东京明治大学法学部。1929 年回国，在上海加入自由大同盟、“左联”、社会科学家同盟等，进行民主革命活动，并著述翻译。1935年重返上海，任天马书店编辑，主编抗日书刊，后赴西南、西北开展抗日救亡运动。曾任国民政府军事委员会政治部第三厅主任科员，负责抗日宣传队工作。抗战胜利后，在上海从事中共统战工作和情报工作，以后又在上海中华工商专科学校和上海法学院任教。建国后，先后任华东行政委员会参事室副主任、中央华东局统战部政治处处长、华东政治学院和复旦大学历史系教授、上海社会科学院法学研究所副所长、上海政法学院副院长、上海市政治学会会长、中国法学会顾问、上海市人大常委会委员等职。著有《现代社会发展史》、《世界思想家名人大辞典》、《宪法论初步》、《关于加强社会主义的法制问题》等。

生活·读书·新知三联书店

2013年8月

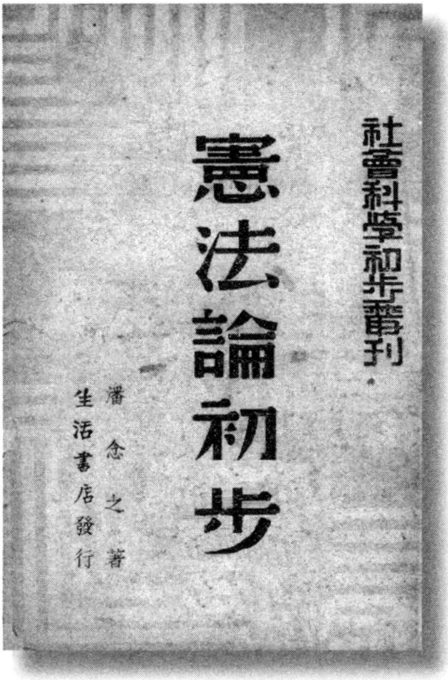

生活书店 1940 年 7 月初版书影

憲法論初步

每冊實價國幣五角
外埠酌加寄費

著者　潘念之

發行人　徐伯昕

發行所　生活書店
重慶　成都　蘭州
桂林　柳州　曲江
昆明　貴陽　梅縣
香港　星洲　赤坎

印刷所　生活印刷所

中華民國二十九年七月初版

原书版权页

目次

第一　什么是宪法

一　法、宪法

我们中国人做人，古来有着两条规矩，一是“服从天道”，二是“遵守王法”。天道是自然的道德，不是什么人所规定出来，由于风俗习惯所流传，大家都这样做，也都认为应该这样做的。像孝敬父母，爱护儿女，救济灾难，尽力于公共利益等就是。王法是国家所定的法律，一经制定颁布以后，大家必须遵守着。像完粮纳税，服从官府，不可盗窃他人财物，不可伤害他人身体等就是。这服从天道，遵守王法，是我们老祖宗的教训，历代传下来的做人道理。一个人如果不能如此，做事违反天道，触犯王法，胡作妄为，人们骂他是“无法无天”，便要被众人所唾弃，受国家的刑罚。

做人要“守法从天”，不仅是中国人的道理，外国人也是一样的。因为人类的生活是很复杂的，是大家在一起过活，不像鸟兽一样，各管各的。由于人类是过着共同的生活，彼此之间，必须有着一定的关系。就是他们谁应该做什么事，谁应该做另外的事，谁应该得到什么，谁应该拿出什么，都会有个规定。这规定就是法律。譬如一个家庭，家长管理全家家务，妇女在家做活，男子出外做事，先要有个规定。其次，全家衣食如何分配，工作所得的金钱物品，如何处理，也该有一定的办法。社会和国家，范围更加大了，情形更加复杂了，办法自然更应该详密，关系更应该确定。否则，没有一定规矩，各人爱怎样便怎样，随便行动，必定彼此相为冲突，秩序紊乱，人类的共同生活，便不能维持了。“国有国法，家有家法”，就是这个道理。

家法，王法，国法，都是“法律”，简单的称为“法”。凡是法律，都有着下面的三个性质。

第一，它的内容是规定着人类共同生活的关系。譬如人的身份关系，政治关系，经济关系等就是。

第二，它的形式是用文字一条一条写出来的。因为只有用文字写出来才能明白确定，使大家知道，并且能传给后代的人。

第三，它的施行是有强迫性的。一经颁布以后，大家必须遵守，如果有人触犯了它，就要受到处分。

现代国家的事务很复杂，法律的种类也很繁多。例如：民法，商法，刑法，诉讼法，行政法，都是很重要的。还有一种顶顶重要的便是宪法。宪法也是法律的一种，它有着上面所说的三个性质，但因为它是一部顶顶重要的法律，它还有着特别的内容和性质。

宪法的内容，特别重在政治方面，它是一部“规定国家的政治体系的法律”。它规定了国家的性质，规定了人民的权利义务，规定了政府的组织和职权，规定了社会关系，规定了经济关系。它从各方面作了原则的规定，包括着整个的国家生活。

宪法的特别性质，有下面四点：

第一点，宪法是国家的根本法律。首先，宪法规定了国家的性质，它是君主国，还是民主国？是三民主义国家，还是其他的国家？其次，宪法所规定的，都是国家生活的总原则，其他的各种法律，都要根据这总原则而规定；因而它就成为各种法律的源泉，也就是国家的根本大法。

第二点，宪法是一部综合的法律。普通的一种法律是规定国家生活的某一方面，它的内容是部分的，专门的；只有宪法是综合的，不限于一方面，把整个国家生活都包括在内。不过宪法仅是原则的决定，不是手续和方法的规定，只决定了几个要点，一切详细办法是让别的法律去规定的。差不多宪法上的一个条文，要有好几部繁重法律去为它补充、说明。所以宪法又是一种主法，其他的法律，可以称为它的附属法。

第三点，宪法特别是表现民权的法律。古代的法律，大抵只有民法，刑法一类，关于政治权力方面的法律是没有的。因为那时候的政治是少数人的专制，掌权的人随意做事，谁愿和人民来订立规约，以束缚自己的手脚？到后来民权发展了，人民起来限制政府的权力，或者革了命，自己来掌握政权，方才制定了宪法，大家共同遵守。所以宪法是人民有力量干预政治以后才产生的。它是民权主义的实行，是民主政治的表现，一国的民主精神愈发扬，它的宪法也就愈精良愈有权威。

第四点，宪法对于一般法律有着超越的地位，最高的权力。因为宪法是国家的根本法律，是一部主法，它立在各种法律之上，地位自然比一般法律为高，权力自然比一般法律为大。现在各国的通例，宪法的权力，没有别的法律可以限制它，别的法律如果和宪法相抵触，便要失去效力，这都是在宪法本身上订定的。

宪法和一般法律的不同，大概是这样。至于详细的意义，要在以下各章，再来分别说明。

二　宪法的内容

宪法的性质，虽然大体一致，但实际上各国的宪法并不相同，形式和内容都有些差别。因此，我们讨论宪法时，不能只拿一国的宪法来代表所有的宪法，要把各种宪法作比较的研究，才能得到一个概念。

就一般的说，一部比较完备的宪法，应该包括这样六个主要部分：就是（一）国家的性质、（二）人民的地位、（三）政权的行使、（四）治权的行使、（五）国民生活、（六）宪法权力的保障。以下就依这六部分来说明一般宪法的内容。

（一）国家的性质

这是宪法上所要首先规定的一点，说明这个国家的政治形态和组织形态（就是国体）。我国现在的宪法草案（就是“五五宪草”，原由立法院起草，预备交给今年的国民大会来讨论）上规定“中华民国为三民主义共和国”（第一条），这说明我国不是君主专制国，不是资本主义共和国，也不是社会主义共和国，而是独特的以三民主义为建国精神的共和国。至于国家的组织形态，宪草上并未规定。但在“训政时期约法”及民国十二年的宪法上，都规定“中华民国永为统一共和（民主）国”。这就说明我国是单一国，不是联邦。十二年宪法第一百卅八条还规定“国体不得为修正之议题”。可见国家性质的规定是十分重要的。在外国，苏联新宪法第一条规定“苏联为工农社会主义国家”，明确的规定了国家的性质。同时这宪法第一章的其他十一条，还分别从政治基础，经济基础，社会主义的劳动原则等来说明第一条的规定，对于国家的性质规定得非常详尽。至于苏联的国家组织形态，在宪法上规定为联邦国家；组织此联邦的各国，是自动参加的，是相互平等的。此外各国，如美国是一个民主的联邦国。日本是一个君主统一国，也都在宪法上规定了的。只有英国的宪法，因为是一个不成文法，对于国家的性质，没有明白的规定。

（二）人民的地位

宪法上关于人民的地位，一般是由三方面来规定。第一是规定人民为国家的主人，或者说国家的主权属于人民全体。关于这一点在下一节再说。其次是平等与自由的规定。如我国宪草第八条，“中华民国人民在法律上一律平等”，这是对于阶级说的，废除了贵族或特权阶级。宪法第五条：“中华民国各民族，均为中华国族之构成分子，一律平等”，这是对于种族说的，打破了民族的异视及人种优劣的谬见。各国宪法也很多明白规定了男女的平等，如苏联新宪法第一二二条：“苏联妇女，在经济，国家，文化及社会政治生活等各方面，赋与与男子同等之权利。”这三种平等也有合起来作一个总的规定的，如我国“训政时期约法”第六条：“中华民国国民，无男女，种族，宗教，阶级之区别，在法律上一律平等。”但法律上的平等是空的，真正的平等，须有实际上的保障，如政治平等，经济平等，教育平等；同时还要有确实的办法，才能达到。大家知道，在美国的宪法上，人民是平等的，但印第安人不论在那一方面都得不到美国白人的平等待遇。世界主要各国，除了日本以外，宪法上男女是平等的，但实际上各国的妇女还是多从属于男子。所以必须宪法上规定人民在政治经济上有了确实的平等时，真正的自由平等方才能够得到。

宪法上关于人民自由的规定，首先是身体安全的保障与行动的自由，因为身体如受了侵害，行动受了拘束，其他的一切自由便无从谈起。其次是言论，出版，集会，结社，秘密通信，信仰宗教等的自由，这是思想与意志的自由，是人类解除权力的压迫而达到理智创造的道路。但这项自由，目前在许多国家内因着政治的宗教的关系，实际上受着很大的限制。我国宪法上对于这种自由的规定，都附有“非法律不得限制之”的文字，可见也不是允许完全的自由的。第三种的自由权利，是处理私有财产及选择职业的自由。这后者在许多国家的宪法上没有明白的规定（我国宪草亦没有规定），前者仅为资本主义国家所有，像废除私有制度的苏联，这种自由已没有意义了。

第三方面规定人民地位的，是对于国家的权利义务。权利普通都分自由权利与政治权利两种。自由权利就是前面所说的那几种。政治权利是人民对于国家的政权，像我国宪草所规定的，人民有选举、罢免、创制、复决、考试等的权利，这在下一节再说。

苏联宪法关于人民权利的规定，和各国的宪法不同。它不把选举权列在这一章内，对于人民的自由权利，在宪法上规定了具体的实际的保障，此外特别由国家给予人民以工作权，休息权，教育权及年老疾病时的物质保障权，而且它还“对于外国公民因保护劳动者利益，或因科学运动，或因民族解放之斗争而受迫害者，予以庇护权”。这都是别国宪法上所没有见到的。

当兵和纳税，是一般宪法上所规定人民对于国家的义务。因当兵是抵御敌人，纳税为供给费用，都在保障国家的存在和活动，国家为人民所组织，人民自然应该尽这义务。我国宪法上规定的人民义务，是纳税，服兵役、工役及公务几项。苏联宪法对于人民义务的规定也很不同，它所列的是（一）遵守宪法、法律，服从劳动纪律，（二）保护社会主义财产，（三）服兵役，（四）保卫祖国。但没有纳税的一项，这因为苏联是一个社会主义生产的国家，国家的费用不是由人民的租税来供给的。

（三）政权的行使

政权就是对国家的统治权，政权在那一部分人手里，国家就以那一部分人为主体，一切设施就依着他们的意志，是为着他们的利益。现在各国在名义上大抵没有特权阶级，全部人民都算国家的主人，所以宪法也多规定：国家的主权，属于国民全体。只有日本的宪法还是规定“日本的统治权属于万世一系的天皇”。依这宪法说，只有天皇才是日本的主人，所有日本的人民都是天皇的奴隶，天皇可以主张一切，决定一切，全体人民只有服从他。

不过主权的规定，总是笼统的，这原则是否能实现，要看国家权力机关及产生的方法如何。这权力机关在一般国家是议会，在我国是国民大会，在苏联是联邦最高苏维埃。这些机关代表着全体人民，订立国家的主要法律，决定国家的重大设施，选举或罢免主要的政府人员，并监督政府的工作。

各国议会，有只一院的；也有分两院的。两院或分称参议院众议院，或称上议院下议院。在日本和英国，参议院称为贵族院。苏联最高苏维埃的两院，称联邦院及民族院。议会采用两院制，除了讨论时可以格外慎重些的理由外，还有议员地位的关系。美国参议院议员是各邦议会所选出的，有代表各邦的性质；好像苏联民族院的代表，由组织苏联的各共和国各自治国各民族区所选出，为的是使各民族得推举代表参加政权。英日两国的贵族院议员，是规定由贵族代表及特定资格的人当议员，与众议员的由一般人民所选出的不同。所以贵族院和众议院是代表着阶级政权。这情形是根据十四世纪时欧洲的三级议会来的。那时候有僧侣、地主、工商阶级的三种代表，各别组织会议来讨论国政。但现在的趋势，贵族院的权力是渐渐减低了。

我国宪草上的国民大会，权力要比各国的议会还小。因为国民大会三年召集一次，每次开会一个月；各国议会是每年召集一次（有的还是经常开会的），每次开会的时间在两个月以上。所以国民大会执行权力的时候短。国民大会的职权，除选举或罢免政府重要人员以外，是创制法律，复决法律，修改宪法等三项。政府对于预算、宣战、媾和、对外条约等重要行政，不必经国民大会通过。各国议会所行使的大部分职权，在我国宪草上是归立法院的，但立法院却是政府机关，所以依照宪草的规定，我国人民对于政治的权力，大部分是间接的，不是直接的。

各国议会的议员，我国国民大会代表，苏联最高苏维埃的代表，都是人民选举出来的。这选举制度，关系很是重大。如果议员或代表是全国人民所共同选出来，并且能代表他们，那么，议会的权力就是人民的权力。如果议员或代表的选举权落在一部分人手里，那么，所选出的人只能代表一部分人，这一国的政权，也落在一部分人手里了。

现在各国的选举，大概都通行普通选举制，就是比较落后的日本也实行了。普通选举就是没有什么资格限定，每个成年国民，除开犯了罪或精神不健全的人以外，都有选举权，被选举权。我国宪草止规定：“国民代表之选举，以普通、平等、直接、无记名投票之方法行之”（第二十八条），就是采用普通选举的办法。但在以前（现在也还有少数国家）选举都有资格限制，如有多少财产，受过什么程度的教育，以及民族、身份、职业等。因而一国内有许多人没有选举权，国家为一部分人所操纵。就是苏联的第一次宪法，也曾剥夺了经营私有工商业者、过去的贵族地主及曾为沙皇警察军官等人的选举权，农民与工人的选举权也不平等，所以那时候苏联是工农专政。但现在到了社会主义时代，新宪法上就全没有这种限制，全国公民都一律平等的参加选举权，就是过去的活动，也所不问。

人民的政权，经过选举，由议会或国民大会来执行的，称为间接民权；若由全国人民直接来选举或罢免政府人员，通过或否决法律的，称为直接民权。现在各国完全实行直接民权的只有瑞士等少数国家。多数国家还是间接民权与直接民权混合采用。我国依照中山先生的意见，对于中央是行间接民权，对于县以下是采用直接民权。

用选举的办法来实现民权，本来是很好的，但也发生了不少的毛病。譬如选举受政党的操纵，政府的干涉，又因议员或代表等当选以后，不对选民负责，在议会中随便自由行动，常使真正的人民意见不能表现。所以选举要给予人民以绝对的自由与便利，要禁止一切的干涉。同时，当选的人要对选举人负责，如苏联宪法所规定:“每一代表应将个人工作及苏维埃的工作向选民报告，并在任何时期，得依规定程序，经多数选民决议罢免之。”我国宪草上也规定:“国民代表违法或失职时，原选举区依法律罢免之。”要这两点能够实行，方才能更多的实现民权。

（四）治权的行使

行使治权的机关是政府，宪法上所规定的是政府的组织及职权。

政府职权的划分，有三权制度、五权制度、苏维埃制度的三种办法。三权制度把政府分成立法、行政、司法三方面，都是独立办事，不相统属。立法是制定各种法律，决定国家的重要政治案件，由议会来执行。行政是实施各种政务，由内阁或国务院及其所属的机关来执行。司法是保障法律的执行，管理人民的诉讼，由各级法院来执行。三权分立，不会使一切事权都集中在一个机关统属之下，发生专制独裁的毛病。就是有一方面做出不妥当的事情，也有别的机关可以纠正它。这种分权制，称为权力的平衡，是使一国的政治更加民主，对国民更加有利的办法。

五权制度，是我国孙中山先生创立的办法，就是在三权以外，加上考试、监察二权。在三权分立的国家内，考试权属于行政机关，监察权属于立法机关内。中山先生所以要把这两权分出来独立，是看到这二项政务的重要，应该独立的专门来做。依分权的原则来说，五权制比三权制要完全些。依照五权的分立，将中央政府成立了立法、行政、司法、考试、监察等五院，这政府就是五院政府。规定五权制度的宪法，称为五权宪法。我国现在的中央政府就是五院政府，“五五宪草”就是五权宪法的草案。

苏维埃制度是苏联所实行的。苏维埃是民选的代表会，原来是人民的政权机关，也就是政府的立法机关。苏联政府的行政机关，称为人民委员会议，是受苏维埃统辖的，执行苏维埃的决议，受其指导监督，并不像其他制度的立法与行政相对立。苏维埃制度的政府，从中央到地方都是一致的，它是单一的组织，不是分权的组织。

不论政府机关是那一种制度，对于国家政治的推行，总以行政部分为最重要。在苏维埃制度下，政府是单一的，不必说了；就是三权分立和五权分立的制度，也是以行政部分为中心，其他部分不过是分出一部分权力，或者作为监督牵制吧了。

行政机关的制度有总统制、内阁制、委员制三种。总统制以大总统为行政的领袖，他可自己任命人员，指挥所属的各机关，施行政务。他是一个总负责人。除开了重要的案件要经过议会同意以外，本身不受它牵制。因为总统制的行政机关是对人民直接负责，不是对议会负责。美国就是实行这制度。内阁制由国务总理和各部部长共同组织内阁，为实际上的行政负责机关。虽然也可以有大总统，但大总统不负实际责任。大总统任命内阁人员，要经国会的同意，议会如对于内阁的政策不同意，或把内阁的要求否决时，内阁便要辞职。因为内阁制的行政机关是对议会负责的。法国就是实行内阁制。英国的国王，虽然是宪法上的统治人，但是行政的实权在内阁，内阁又对议会负责，所以英国也是内阁制。

委员制的行政机关不以一人为领袖，由若干人组织委员来共同负责，凡事都由会议决定，苏联的各级政府都采用委员制。瑞士也实行委员制。

我国现在的行政制度是委员制，但宪草上所采取的是总统制。总统制的权力大些，地位稳固些，政府容易做事。内阁制要服从于议会，能反映出人民的意志。委员制凡事均由会议决定，比较民主些。

除了上面几种制度以外，现在意德两国的政府，以墨索里尼或希特拉个人为领袖，他可任意决定一切，既不是内阁制，也不是总统制，完全实行个人的独裁，我们可以称它为法西斯独裁制。

除开中央政府的组织和职权，对于地方政府，宪法上也有着大略的规定。如我国宪草上规定地方政府有省和县、市二级，县、市为实行自治的单位，省是执行中央法令及监督地方自治。但是联邦国家，如像美国那样，只要不违背国家的总原则，各邦的制度，完全是自己规定的。

（五）国民生活

过去的宪法，内容完全是关于政治方面的，在第一次欧洲大战以后新订定的各国宪法，就注意于经济和一般国民生活方面的问题了，尤其是德国的《威玛宪法》，对于这方面的规定，很是详细。这原因在于从前是工商阶级对贵族地主的斗争，所争的是政权而不是生活问题。现在起来作斗争的是贫苦人民，所争的不仅是政权，也是经济生活，因为他们不但感到无权参加政治，且也无法生活。

现代各国，除了苏联以外，经济生活是建在私有制度上面，就是所谓资本主义的经济。资本主义的经济，一切经营都以私人营利为目的，对于国家利害及全体国民的福利，往往不及顾到。再加经济发展的结果，经济权集中在少数人手里，多数人变成一无所有，经济上受了压迫，生活渐渐感到困难。像中山先生所说："一切谋生利益，尽被资本家吸收，贫民虽有力量，却无权去做。”所以“自德法战后，世界上不但有民权战争，且有经济战争，人民不热心去争民权，而去争经济权”。中山先生为防止我国发生同样的情形，创立了民生主义，用以解决我国的经济问题；我国“训政时期约法”和“五五宪草”，也就含有民生主义的精神。

德国的《威玛宪法》（现在已被希特拉废除）中专订了关于社会生活、教育问题、经济生活的三章，我国宪草中也有国民经济及教育两章。这些规定，主要的有几点：一、一方面保障财产的私有制度，一方面仍规定私人的经营须不违反社会的公共利益。二、对于全体国民生活有重大关系的若干种事业，须归国营，国家并得依法收买私人产业。三、特别规定条文保障劳工、妇女、儿童的生活和权利。四、保障失业及残废、老弱者的生活，并注意国民一般生活的改善。五、规定国家的义务教育，人民得免费入学等。

苏联是废除私有制度而经营社会主义生活的国家，

宪法上的规定，和别的国家又不同。它在社会组织中，规定社会主义的经济制度，废止生产工具与手段的私有权，消灭人对人的剥削，人民都过着集体生活。此外又在公民的基本权利及义务的一章，规定人民的工作、休息、教育及老弱疾病的物质保障权。他们的政治权及经济权完全放在国民大众的手里，就在政治组织与经济组织本身中保障了全体。

（六）宪法权力的保障

宪法是国家的基本法律，规定国家生活的主要原则，是一切法律的泉源，它应该为一切法律所尊重，就是一切法律要根据它的原则而制定，不能违反了它。这就是宪法权力的最高性，是各国学者所公认，在宪法的本身上规定着的。我国宪草上规定：“法律与宪法抵触者无效”，“命令与宪法或法律抵触者无效”。别国的宪法，也有相同的规定。至于法律是否与宪法抵触，在我国宪法上规定由监察院解释，美国则由联邦法院解释，有的国家还特别设立“宪法保障法院”来负责这一责任的。

宪法所规定，大抵是原则的，这原则包含什么内容，对于实际问题如何应用，有时是需要解释的。这解释也是非常重要，如果可以随便解释，或由引用者自己来解释，很可以有种种不同的解释，甚至和原来的规定完全相反。所以各国宪法上都规定了宪法的解释机关，这责任一般都交给司法机关的。如我国宪草上规定由司法院解释就是。

宪法要合于实际需要，时间久了，总得修改。但是很容易修改，常常修改，必定要失去宪法的意义，所以各国宪法修改的手续，都在宪法本身上特别规定，使它能相当稳定。这一点在以下还要再说。

对于宪法最高性及解释、修改手续的规定，都在保障宪法的权力，防止对于宪法的破坏。但是日本的宪法，却有一个相反的特点，就是它规定国家在紧迫时机，天皇可以停止一部宪法的实行。过去在日俄战争时曾经这样实行过，现在因对我作侵略战争，发生危机，也有人在那边主张停止宪法了。这种规定实是承认天皇的命令高于宪法，否定了宪法。所谓“紧迫时机”既没有具体规定，天皇便可以随时停止宪法，从法律的意义上讲起来，是非常不对的。除此以外，也有国家允许以法律来规定宪法的施行，就是允许以普通法律来限制宪法的权力。如许多国家的宪法上，对于人民的各项自由的规定，都有“依法享受”或“非法律不得限制之”的文字；依照这规定，政府可以制定法律来限制自由，甚至限制到几乎没有，也是合法的。又如我国“五五宪草”最后一条规定：“宪法规定事项，有另定实施程序之必要者，以法律规定之。”这也差不多允许以普通法律来限制宪法的实施，有减少宪法权力的危险。

三　宪法的形式

宪法是用文字一条一条写出来的，在前面已经说过，但这是就一般的情形来说，并不是所有的宪法都是如此，因为有的宪法并不是用条文写成，甚至其中有一部分，根本没有用文字写出来。这种宪法称为不成文宪法，英国的宪法便是一个例子。英国的宪法，不是在一时期内制成，是由几个历史上的文件，有的是国王的宣言，有的是议会的议决案，有的是普通的法律，有的是法院的判决文，还有一部分是英国一向所遵守的风俗习惯，渐渐积习而成。不成文宪法没有固定的形式，没有特殊的制定手续，它的权力也没有特别保障，可以随时因各种文件及风俗的转变而更易。从严格的意义说，这只是几种关于人民权利义务及国家组成的普通法律，并不是宪法。

和不成文宪法相反，是用条文，或虽非条文而是由正式文件所制成的宪法，称为成文宪法。美国宪法是最早的成文宪法，它以一篇《独立宣言》为序及正式的条文而成立的。法国的宪法是三个文件和几个修正案联合而成。但是第一次欧战以后各国所订立的宪法，都是用条文写成的单一文件，是最合标准的成文宪法。我国的“五五宪草”，也采取这样的形式。

现代的宪法，所以多采用成文法，是因为它比较合理，优点多。条文经过严密审订而成，内容比较周密，意义比较清晰，文字比较确定。它的规定，能为大家所共同了解，不易为议会或法院所随意曲解，对于国家生活及人民权利，有确实的保障。它的唯一缺点，在于条文固定，修改困难，未能依照实际生活的转移，而自然转变。不成文宪法的长处，在于富有弹性，能随着社会的新变动而迅速转变，以适应现实。但这也正是它的短处，因为这种弹性可以被政府所利用以侵害人民的自由和利益，失去立宪的目的。况且不成文法繁杂模糊，不易为一般人民所了解，也是一大缺点。

从宪法的历史来说，不成文宪法是初期的产物，是不完备的宪法，成文宪法是进步的、体裁完整的宪法。但是，一部良好的成文宪法，在制订条文时，还须注意形式上的四个原则。

第一，内容要完备。因为宪法是一部综合的法律，包含国家的整个生活，制定宪法的时候，必须放大眼光，看明白社会的情形，把重要的国家生活，都规定在宪法内面，使其内容完备周密，没有偏漏。过去因国家政务简单，宪法的范围也很狭小，现在因经济发展，社会复杂，政治的范围渐渐扩大，例如国民经济一项，过去是不订在宪法以内的，现在已成为宪法中的一个重要部分了。

第二，条文要扼要。宪法的内容固然要完

备，但它是国家的主要法，只须把国家生活的大纲节目订了进去就可以，不必把一切琐碎问题都写上去，只须把问题的原则规定出来，不必把施行的办法也逐一载明，因为那些可以让别的法律去规定。所以宪法的条文要扼要而不烦琐。但是什么是重大，什么是必要，分辨明白，使能扼要而仍不疏漏，在于制宪者的政治眼光了。

第三，意义要确定。意义确定是一切法律所应具备的条件，对于宪法更为重要。宪法因为所规定的都是国家的重要问题，如意义模糊，可以随便解释，不但应用时的出入很大，也会因而发生纠纷。为使宪法的意义确定，条文要作决定的表示，具体的指明，不可作笼统的泛称；内容宽大的要有补充说明的语句；文字要完备，不可简略；字义要清晰，不可晦涩。

如苏联新宪法对于人民权利的规定，每条都有具体的说明，不附加抽象的限制，意义最为确定。

第四，文字要明白。宪法有关全国人民的利益，全国人民都应遵守，自然要使全国人民都能看到，都能了解。所以宪法的文字必须浅显明白，使教育程度较低的人民，也能明白了解，方才人人知法，人人守法，宪政精神可以普及于全国。

四　宪法的产生及修改

一国宪法的产生，是随着它的政治的转变而来的。如果政治是渐渐改良，慢慢转变，宪法也零零碎碎的产生，历次积集而成。如果政治是因着革命而起了急激的变革，宪法也必在短时日内制立起来。大概不成文宪法是依前面一种情形而成立，成文宪法是依后面一种情形而成立。

英国的政治是经过许多次的改革，才转变到现在的情形，它的不成文宪法，也是经过许多时期的历史，由许多文件所凑合起来。其中最重要的部分就是一二一五年的《大宪章》，一六八九年的《权利宣言》，一八三二年的《大改革案》及一九一二年的《议会法》。这宪法是在长时期中变化积集而成，而且现在也还在变化集积中，因此有人称英国的宪法是生长成的，不是制成的。

一个时期内制成的宪法，又可分为“钦定宪法”及“民制宪法”两种。钦定宪法是由君主制定颁布的，或者也经过一部分人民的参议，如贵族之类，但并未征求多数人民的同意。这是一国内发生革命时候，专制的政府受了威胁，便自动颁布宪法，允许人民一部分的权利，以缓和革命。像日本明治维新时所颁布的宪法，俄国一九〇五年革命后所颁布的宪法都是。

民制宪法，大概是革命成功了，打倒了专制政府或压迫势力，人民解放了，便大家商量着，依着自己的要求和理想来建立一种新的政治制度、经济制度，依照这新的制度来订立宪法。像美国宪法，苏联宪法以及其他许多国家的宪法都是。

钦定宪法是在君民妥协的形势下产生的，还保存旧的制度和势力，民治不彻底，是于君主有利的宪法。日本宪法为今日最不民主不完备的宪法，就是这个道理。民制宪法是革命后所订立，完全废除旧制度，于民众最有利，民治也比较彻底。钦定的制宪方法，当然是不合理的方法。

订立宪法的手续，各国也有共同的步骤。第一步是起草，是由普通立法机关或者特别组织的宪法起草会来负责进行。如法国宪法为议会所制定，我国“五五宪草”是由立法院所拟定，美国宪法和苏联宪法都由专门的宪草委员会来起草的。第二步是通过，是由国家的最高权力机关或直接交由全国人民投票决定，如“苏联新宪法”是由联邦最高苏维埃所通过，我国“五五宪草”也预备提交国民大会去通过。美国的宪法是由各邦分别通过批准的。第三步是公布，宪法通过以后，便由国家最高行政机关公布施行。经过起草、通过、公布三步手续，宪法便成立。

宪法成立以后，应该相当稳定，不宜随便修改，一国的政治方能稳定。但社会是进步的，政治在不断变革中，如果实际的政治情况已经改变了，宪法还是照旧维持，强迫实行，那是不合理的。所以宪法在必要时也应加以修改，使它能与实际的形势相配合。

修改宪法的手续，因着宪法性质而不同。不成文宪法是和普通法律一样，在不断生长中，当然没有特别的修改手续。也有一种成文宪法可以在平常立法机关中依一般办法来修改的，例如意大利，匈牙利的宪法就是。这种没有特定修改手续，比较容易改变的宪法，称为柔性宪法。

与柔性宪法相对的，称为刚性宪法。它不能用修改普通法律的手续去修改，宪法本身上规定着特定的修改手续，像美国、苏联的宪法就是，我国“五五宪草”也是这样规定着。刚性宪法的修改，大概不是在普通立法机关内，是在最高权力机关内进行，如苏联由联邦最高苏维埃修改，我国由国民大会修改。而且在讨论宪法案时，会议出席人的数目及赞成的人数也有规定，大概都要在三分之二以上。提议修改的人数及时间也有相当限制。这些规定都是使宪法的修改与制定时经过差不多相同的手续，比柔性宪法的修改，要困难得多了。但为保持宪法的稳定性，使其不为少数人所变更而侵害全体人民的利益，又能适应实际情形而加以合理的修改，这是两全的办法。

第二　宪法与宪政

一　宪法的政治意义

一切法律都是形式的，它自身并没有内容。法律的意义，要从政治上来解释。宪法，也是这样。它的政治意义，可从三方面来讲。

第一，宪法是一国政治的表现，反映出当时的政治要求。它不能离开实际情形而独立，不是法律家所能随意编制出来的。奴隶社会的宪法，不会遗留在封建时代；资本主义的国家内，也不会出现一部社会主义的宪法。政治变更到怎么样，宪法也就变更到怎么样。宪法的条文是政治的表现，并不是政治的趋势，受着宪法条文的限制。例如美国，并不是先有了自主的宪法才独立起来，而是先有了独立的要求，战争得到胜利，才产生那一部独立的宪法。再如苏联革命以后，原来有着一部宪法，但是经过三个五年计划的建设以后，国内政治形势改变了，原有的宪法已不能适应，便改订了现在的新宪法。

同时，宪法的价值，也不在于它的形式，而在于它的政治内容。现在汪精卫做了汉奸，出卖祖国，受日本军阀的指挥，要在南京成立伪中央政府。他宣布结束训政，实行宪政，也说不定会颁布一部宪法。可是他的宪法，不论怎样形式整齐，文字美丽；因为他所行的是卖国政治，一定要使这宪法成为一堆秽物；因为他是一个汉奸卖国贼，一定要使这宪法成为一张废纸；没有一些价值，也决没有实现的可能。

第二，宪法是政治斗争的产物，它的产生，总不能和革命脱离关系。例如我国的“元年约法”，便是辛亥革命的结果，假如满清政府不打倒，那里会产生那民主的约法呢？又如今日的“训政时期约法”及“五五宪草”，便是国民革命的结果。假如北洋军阀不打倒，对日抗战不发生，那里会允许我们实行三民主义的宪法呢？

再从各国的历史来看，英国的宪法就是一部英国君民斗争史。十三世纪时英国由于贵族和国王的斗争，产生了《大宪章》。以后城市工商业者的力量渐渐大了，又起来向国王和贵族争政权，一六八八年英国发生光荣革命，次年国会通过了《权利宣言》。以后再经过劳动者宪章运动和普选运动，乃有一八三八年的《大改革案》以及一九一八年的《议会改革法案》。这些文件都是英国宪法的一部分，都是经过斗争后才产生的。

法国十八世纪大革命发生，国民会议就发表了《人权宣言》，制订了成文宪法。以后发生七月革命与二月革命时候，也都颁布过宪法。可是革命的势力不强大，政权不巩固，宪法也都未能实施。直至拿破仑三世被俘，第三帝国被打倒以后，一八七五年才成立了现在的宪法。美国的宪法，是在独立战争胜利以后，一七八九年制成颁布的。此外意大利、德意志、奥地利等国的宪法，都在国内民族革命胜利，统一完成以后才制定。日本的宪法也是在倒幕勤王的明治维新以后，就是在资产阶级的势力相当高涨以后才产生的。

第一次欧战以后，世界政治起了大变动，苏联、德、奥、捷、土耳其等国，经过革命以后，建立了新的政治制度，也订立了新的宪法。

第三，宪法是一种既定关系的记录，它虽然因着政治势力的起伏而变化，但在制定以后，还是有着相当的拘束。就是这时候，它受着强大势力的支持，其他的势力，因为力量较小，尽管不十分同意于这一宪法，却也不能不遵守。不过这拘束力仍是由于其他各势力不能不服从于这强大势力的关系而发生，并非由于宪法本身的规定。设或各种政治势力的相互关系发生变化时，这宪法的存在也就成问题，决不因它本身的刚性而不被变革。

因此，宪法能否实行，是在于新的势力有无力量支持它保障它，并不系于旧势力的诚意。俄国在革命前颁布过宪法，法国在一八七五年前也制定过十二次宪法，但都没有实行，因那时俄、法的革命势力虽然已经起来，并且相当的压迫了旧势力，但还不能克服它。德国的《威玛宪法》是有名的民主宪法，最为德国人民所赞许，但希特拉上台以后，这宪法随着德国的议会一齐被烧掉了。这由于德国法西斯资产阶级需要用独裁政治来维持它的存在，而一般人民还没有力量去阻止它的缘故。

所以在政治上的各种势力不平衡时，宪法是强势力用以拘束弱势力的工具；各种势力相平衡时，是相互妥协的协定。只有社会上没有矛盾、对抗，人类都协和一致的时候，宪法才失去斗争的意义，而真正建立于全体人民的意志上；并且以后的修改，也才是和平的自然生长。

上面所说，证明了宪法是政治的表现，它的产生，是政治斗争的结果，它的存在，是在维持既成的政治关系。所以宪法是形式，它的内容是政治。

二　宪法的社会基础

没有一部宪法是一成不变，永远通行的，也没有一部宪法不在进化中，不断的修改、变革。这就是宪法的时代性、进步性。由于前面一节的说明，宪法的进步不是由于它本身的原因，而由于一国人民的政治要求与政治力量的转移。所以宪法的基础，不在于自身的法律保障，而在于人民要求所以改变及政治力量所以转移的社会原因上。

宪法起源于中世纪以后，在这以前，只有欧洲的希腊罗马时代，有过宪法的遗迹。因为希腊罗马时代，已经由原始社会转变到奴隶社会，有了国家形态，也有了社会阶级。那时候的奴隶虽然还没有争政权的力量，但后来，称为“平民”的奴隶主，已经和那由家长转变成的执政贵族冲突，争夺政治权利了。执政官与护民官相对抗，元老院与人民议会相对抗，因而有双方妥协的政治制度出现，这种制度就是宪法的起源——也可以说是原始的宪法。后来北方的蛮族侵入，西罗马灭亡，欧洲成为黑暗时代：以武力得到政权的帝王，行使着绝对的专制，人民被压迫着，没有民权，也没有宪法。直到中世纪以后，一部分的贵族力量又恢复了，起来向国王争权，于是开始了近代的宪法。

所以在原始时代，人民过着小集团的生活，政治形态极简单的时候，没有宪法。在绝对的专制政治下，政权在极少数人手里，人民的力量很小的时候，也没有宪法。只有政权在两种势力对抗中维持着；或虽然没有冲突，而政治形态已极复杂，政权由多数人共同行使时，才有宪法。前一种情形，是实现了相当的民治，后一种情形，是实现了真正的民治。所以宪法的政治基础是民治。

我们再从经济上来看，罗马时代之所以开始民治与宪法，乃是平民利用奴隶劳动，经营初期工商业，在社会上获得了经济势力，有力量和贵族相对抗的缘故。黑暗时代的宪法中断，由于罗马的工商业被蛮族侵入所消灭，过去的工商业家都没落了，大家过着简单恶劣的生活。中世纪时候，贵族因着封疆而渐渐增大势力，是唯一和帝王争权的人，及后工商业又渐次繁盛，新的工商业家兴起，开始了近代的民权运动，开始了近代的宪法。所以宪法的经济基础是进步的产业。

近代宪法的开始，是英国的《大宪章》，那上面大部分是规定教会与地主的特权，“事实上是英王与贵族间的一个协定”，所允许当议员参政的只有僧侣和地主，没有城市的代表（就是工商业家的代表），也没有人民的代表（就是工人和农民的代表）。

那时代的社会生产是农奴的土地劳动，极简单的手工工业和商业，完全附属于农庄中。土地大部是属于教会及领主的，所以僧侣与地主是社会上有力量的人，争政权的是他们，宪法上所规定也就是他们的利益。这种宪法可以称为贵族的宪法。

除此，欧洲民族运动兴起时，因为运动的中心，是各国的王公，政治上还是保持着贵族的优势，新兴的资产阶级（就是工商业者）并没有得到平等的权利。这种宪法也是贵族性的。如十九世纪初期的《日尔曼宪法》及《撒丁宪法》。就是俄国和土耳其在革命以前曾经颁布的宪法，日本的宪法，也是留有封建时代特性的贵族宪法。

在法国大革命时代，英国的产业革命已经发生，欧洲大陆方面也在开始。新兴的资产阶级（当时称为“平民”或“第三阶级”）已经抬头，并且渐渐取得社会的经济权力。以前他们没有政治权利，被压在贵族的脚下，现在他们也发表《权利宣言》或《人权宣言》，领导着贫苦的工人农民起来革命了。这种斗争的结果，完成英国，美国，法国的民主宪法。这些宪法，主要的是保障人民的自由权利，尤其保障财产的私有权；政府如要增加人民的租税负担，必须得到议会的同意，选举权和被选举权都有财产的限制。所以这种宪法是资本主义的宪法，因为它的基础是资本主义的生产。

到了十九世纪后半期，资本主义已经统治了世界，以前的僧侣地主都被打倒了，政权完全落在资产阶级的手中。可是，另外的一部分人，过去帮助他们争得政权的工人农民，数目增多，也组织了起来和他们斗争，一方面是要求经济上的利益，一方面也要求政治上的权利。这个斗争的结果，有的暂时成立妥协，扩大了民权的范围，允许工人农民的要求。现代各国的宪法，尤其在第一次欧战以后，都规定普选制度，土地国有，矿山公营，失业救济，以及改良农村生产等，多少带有一些社会主义的色彩。德国的《威玛宪法》，便是最好的例子。

但那时在俄国的斗争，工人和农民得了完全胜利，于是像过去资产阶级打倒封建贵族一样，重新建立了一种自己的政治制度，改订了一种新宪法，废除了财产的私有制度，实行人民的共同生活，政治上实行完全的民主政治。这种宪法可以称为社会主义的宪法，因为它的基础是建立在社会主义的生产上。

由于上面的许多例子，我们知道，社会的生产形态改变了，人民的力量起了变化，政治制度改革了，宪法也就跟着改革了。所以宪法的社会基础是在生产形态上。

三　现代宪法的本质

现代各国的宪法，有日本的富于封建色彩的宪法，也有苏联的社会主义宪法，但大多数的是资本主义的宪法。因而现代宪法的代表，不是日本的，也不是苏联的，而是英、美、法等国的宪法。

根据前面一节的说明，现代英、美、法等国的宪法是十八世纪起的产业革命的结果，是封建贵族被打倒，经营工商业的“平民”获得政权后所产生，是资本主义的，也是资产阶级的。

这种宪法，有着几个特性。

> 第一，宪法的根本作用在保障个人主义的自由权，尤其是财产的私有权。在封建时代，农奴连着于土地，身体也属于地主的。在现代宪法上，人民的身体是解放了，人类是平等的。附带的居住、迁移、职业、信仰等的自由也获得了。同时国家的经济政策，也采取自由主义，一切经营，都是为着个人的目的，个人的利益。这种自由，也受着宪法的保障，国家不能干涉的。就是经营成为独占，使他人的营业倒闭，或使许多人失了业；甚至把自己的土地荒

废着，把所有的谷物烧毁了，让社会闹着饥荒；也是可以的。财产私有权，在宪法上是神圣的，不但个人不能侵犯它，国家也不能改变它。“自由、财产，让每个人得到安全和快乐！”但结果，个人主义的自由，私有制度的财产，仅保障着少数人的安全和快乐，而多数人的安全和快乐反因此失掉了。

第二，是议会政治的建立。各国宪法大都规定议会为政权机关，内阁为政府机关。内阁对议会负责，内阁阁员须得议会的承认，内阁的重要设施要经过议会通过，内阁经常受着议会的监督。因此，国家的权力在议会中，但实际内阁与议会都操纵在政党手中。政党因在选举中发生作用，操纵着选举，议会中的议席便为各政党所分配。获得多数议席的政党，便可支配议会，可以组织内阁（美国虽然不是内阁制，因总统与议会同时选举，总统与议会也必落在同一政党手里），可以通过政府的施政方针。像英美等国，有两个大政党（英国以前是保守、自由两党，现在是保守、工党两党；美国是共和、民主两党）相互竞争着，于是政权不落在这个党手里，便落在那个党手里。这个党当政多少时候，如果不满人意，那个党就出来号召；下次选举时那个党得了胜利，改由那个党来掌政。如此交互轮翻，政府便在政党手里流转，成为他们的掌中物。所以议会政治，实际上就是政党政治。

第三，由于上面两项精神，这种宪法便造成了资产阶级的专政。因为财产的私有权和产业的自由竞争，使一国内的财富集中在少数人的手里，多数人沦为赤贫。同时为保障财产权的言论、出版、集会、结社等的自由，多数人也就无法享受。虽然现在各国宪法对于私有财产的处理与占有，也有了相当的限制，但根本上并没有改变，人民在经济上既不平等，自由的享受也无法平等。

又因为内阁与议会受政党的操纵，选举有着财产上与教育上的资格限制，只有富有者才能当选为议员，才能组织政党。虽然近来各国已实行普选制度，但穷苦人无钱作竞选运动，穷苦人为着自己的衣食做着工，也没有时间去作竞选运动；况且还要受到政府和厂主、店主的干涉。所以政治还是被既成政党所操纵，落在富有者的手里。

个人主义的自由，私有制度的财产，议会政治，这三者造成了资产阶级的专政，也便是现代宪法的本质。

四　现代宪法的危机

现代宪法是资本主义的宪法，保障资产阶级的政权的。但近一百年来工人农民的力量渐渐长大，劳动运动不断发生，他们已起来向资产阶级争政权了。这种情形，使现代宪法有两种倾向：第一种倾向，是各国的宪法都改变为带有社会政策的色彩，给予工人和农民一些利益，以缓和他们的情绪，阻止革命的发生。这是社会党人——就是比较进步的资产阶级的主张。另外一种倾向，是因为害怕工人农民的势力，设法剥夺他们原有的权利，或者竟另外订立一种实行独裁政治的宪法，以压迫劳动运动，打击革命势力。

第一种倾向，在第一次欧战以后，颇为浓厚，但不久以后，便又转向到第二种倾向了。例如德国的《威玛宪法》，原是德国社会民主党的得意作品，曾经实施过好几年。但因德国经济恐慌，资本家怕快要站不住了，一九三三年希特拉得了政权后，便废除了这宪法。另外他颁布一部宪法，削去了民主政治，实行他的独裁专制。再如意大利，第一次大战以后，国内劳动运动很盛，一九二二年墨索里尼上台，便用法西斯主义来统治意国，把过去的宪法改了，以产业团体为选举议员的机关，使法西斯党员可以当选为议员；又规定法西斯党大会有决定国家政务的最高权；政府成为法西斯党的私有机关；棍子成为统治民众的工具，人民回到了黑暗时代的生活。再举一个例，第一次欧战后复国的波兰，直到这次欧战中亡国时为止，也是一个法西斯独裁的国家；在毕苏茨基的武力下，虽然也有一部名义上的宪法，但宪法所给予人民的权力，实际上一点也不存在，宪法仅是一个虚伪的文件。

东方的日本宪法，原来是封建贵族与资产阶级妥协制成的。天皇是绝对统治者，贵族、地主、资本家，差不多在贵族院中占着世袭的位子。事实上，日本的内阁并不产生于议会，而操纵于元老及宫内贵族的手里，内阁的政策又完全受制于军事机关，民权本来是甚少的。近几年来，日本的军事法西斯倾向渐渐增加起来，自从对我作侵略战争以后，政府完全把持在军人手里，一切政治，都要由军阀来决定。最近更干涉到议员在议会内的发言（例如斋藤隆夫事件），倡议解散政党，人民的自由权利更被剥削得一点不留。日本的贵族宪法，也被军阀们撕毁了。

英、美、法等国，虽然还维持着民主政治，保持着原来的宪法，但是他们也会另外订立法律（像《煽惑治罪法》，《违警条例》）来限制或取消宪法上的人民权利。有时他们还用行政的或司法的行为，来干涉人民的合法运动。尤其在这次大战发生以后，人民的自由权利更是受到摧残。在今日，就是资本主义宪法上所给予人民的民主和自由，各国的执政者也以为太多了，会妨碍他们的利益，因而他们自己所规定，向人民宣布过并宣誓遵守的宪法，也不惜亲自用种种方法来加以限制！

现在，各国统治者所要的，已不是保障自由，实行民主的宪法，他们所要的，是禁止自由，遏阻民权的办法。过去他们要求封建贵族保障他们权利的宪法，现在要转变为压迫人民势力的东西了。于是他们实行法西斯的独裁，民主死亡了，宪政消灭了，宪法也撕毁了！

这种转变，第一个原因，是第一次欧战以后资本主义经济渐渐衰落，危机日深。第一次大战发生，帝国主义的黄金时代已经过去，大战给予许多国家以巨大的打击，以后的经济危机又加紧使他们转入衰老的时期。于是他们深深感到自己的力量减少，地位低落（尤其是德、意、日三国），过去尚能和平的从容的应付人民的争执，现在是感觉到紧张吃力了。于是过去尚可允许人民一点点自由或民主，而现在连这一点的允许也妨碍了自己的应付，于是不能不收回来。

第二个原因是第一次欧战后人民的势力渐渐大起来，政权的斗争，日趋激烈，使他们感到巨大的威胁。这威胁一方面是俄国人民革命的胜利，创造了社会主义的国家，一方面是殖民地民族的独立运动高涨，排斥帝国主义的统治。重要的一方面还是各国内部劳动运动的激烈，渐渐转向到革命的道路上去。例如工人的组织日渐膨大，政治性的斗争天天加多。这都使执政者恐惧的。第一次大战后，各国曾一时妥协，在宪法上允许人民一部分的要求，以缓和革命，现在觉得这种妥协并不能缓和革命，反而给革命以鼓励，所以索性把过去的怀柔政策也取消，赤裸裸的实行暴力压迫政策了。帝国时代十分紧张，现代宪法的危机已经很深刻了。苟延残喘，维持这残破局面的时期是不会很长的。今后还是灌注入新的生命，延长它的光辉的生命？还是完全撕毁它而返还中世纪的黑暗时代？还是愿意多允许些人民的要求，发挥第一次欧战后曾经有过的民主的富有社会主义色彩的宪法精神？抑或竭尽最后的力量，加紧独裁专制，让人民的革命早日爆发，作一个总解决——这是现代宪法的两个前途。

第三　中国的宪法

一　制宪运动概述

我国的宪法历史，只有三十多年，比起英、法等国家来，是非常短的。我国自周秦以来的政治制度，都是君主专制，中间虽然也换过朝代，也受过分裂割据的事，但都是个人争夺政权，并不是社会的政治势力发生变更，不能称为革命；因之，没有民治，也没有宪法。

我国的宪政运动，开始于清代末期。那时候政治非常腐败，受尽帝国主义的侵略和压迫，国家非常危险。同时国内的经济建设，在外国的影响下渐渐开展起来。

各国的政治学说，也传入中国来了。社会下出现一种新的力量，新的主张，于是起了革新救亡的运动。这运动中，一派主张革命，推倒君主专制，建立共和国，中山先生便是领导人。一派主张改良，维持清代政权，改为君主立宪，梁启超，张謇等便是领袖。清代皇室看到革命势力抬头，便依照改良派的意见，宣布“预备立宪”，派了几个大官到外国去考察宪政。后来因为各方督促，光绪三十四年又颁布了“宪法大纲”，提早实施宪政。三年之后，辛亥革命发生，清代皇室非常恐慌，匆忙中又颁布了“宪政十九个信条”，答应建立内阁制的政府，并且委了袁世凯做内阁总理，预备和革命派妥协。可是已经来不及了，辛亥革命终于推翻了清代，建立了中华民国。

清代最后的十几年，是我国制宪的酝酿时期。那时候人民已经开始要求宪政了，但政府还不肯实行，所以虽然有了制宪的表示，却没有制定过一部宪法。

辛亥革命以后，决定废除君主，建立民国，这年十二月即由各省代表制定了《中华民国临时政府组织大纲》。这可说是我国第一部宪法文件。民国元年三月，参议院在南京开会，制定了一部《中华民国临时约法》，把人民权利，政府组织及职权等都规定了，有着完备的成文宪法的形式。不过当时来不及召集国民大会或国会来通过，手续并未完成，就称为“临时约法”。

袁世凯继接孙中山先生做大总统以后，民国二年，国会曾在北京拟定宪法草案（就是“天坛宪草”）。但后因国会受了袁氏的压迫，不能开会，这草案没有提付讨论。到三年五月一日，袁政府另外颁布了一部《中华民国约法》，把大总统的权力提高得多，把民权减削得多。到后来，袁世凯竟做了皇帝，宪法当然不必谈了。

民国五年，袁世凯打倒，恢复共和，以前被袁氏解散的国会仍旧召集开会，把过去拟定的“天坛宪草”提出来讨论，继续制宪工作，此后因发生几次内乱，政府屡屡改组，国会也屡次解散，那宪法草案，断断续续的讨论了几次，直到民国十二年，才草草通过，由政府在“双十”节公布。这是民国二年开始的制宪结果，也是我国所曾经有过的唯一宪法。因为通过这宪法的国会，当时受贿选举曹锟为大总统，这宪法也被称为“贿选宪法”；在次年曹锟被驱逐以后，便停止施行了。

在十二年宪法成立以前，民国八年政府曾召集新国会另外制定一部宪法草案，民国十四年段祺瑞执政时候，又曾有过一部宪法草案。甚至民国十九年汪精卫在北平召开“扩大会议”时候，也曾宣布过一部约法。

从民国成立到十九年，是我国制宪的混乱时期。这时期因为军阀争权，此起彼落，政局没有安定，宪法也是你制一部，我写一部，只有制作，没有实行过。

国民革命军北伐，定都南京以后，渐渐统一全国，结束军政，开始训政，国民政府在民国二十年六月一日公布了《中华民国训政时期约法》。这就结束了过去的混乱局面，开始了国民党训政的时期。这“训政时期约法”有几个特点：第一，它是中国国民党所制定，交由国民政府公布的。第二，它规定在训政时期，中央统治权归中国国民党全国大会执行。第三，它规定训政时期的施政纲领，都根据中国国民党的主张。所以这约法是以党建国的约法，在今天尚在施行中。

“训政时期约法”颁布后，不久，“九一八事变”发生，日寇积极进行灭亡我国的政策，国难严重。政府为要唤起民众，团结上下，共同御侮救国，决定提早实行宪政，便开始制宪。民国二十二年，立法院奉命起草宪法，经过三年又四个月时间，完全写成，至二十五年五月五日，由国民政府公布。由于颁布的日期，这宪法草案大家都称为“五五宪草”。接着国民政府又公布《国民大会组织法》，《国民大会代表选举法》，定于民国二十六年十一月十二日召集国民大会来通过这一部宪法。但各省代表还没有选出，全面抗战已经开始，因为军事变化，首都迁移，大会就宣布延期。

抗战两年以后，我国有着胜利的把握，已是大家相信了。但这一胜利也不是随便可以得到，必须我们用全力去争取。政府要集中全国的力量用到抗战上来，在军事形势稍稍稳定以后，便决定完成制宪，实施宪政。因此，去年十月第四次国民参政会为着抗战早日胜利，通过了《促进宪政案》。国民政府就接受了提案，决定在今年十一月十二日召集国民大会来讨论宪法，通过实施。

从民国二十年到现在，是我国重新制宪的时期。这情形和过去有所不同。这时期的制宪，是在中国国民党的训政下进行，受着国民党的领导，它也起着决定的作用。现在宪法草案已经有了，只要加以研究修正，便可通过实行。制宪的历史，不久就可结束，今年十一月以后，该是实行宪政的时期了。

这是我国三十多年来的制宪历史。从这历史看，在我国的宪政运动上有着三个特点：

第一，我国宪法虽然创制得多，却未曾实行过。正如吴经熊（他是“五五宪草”的起草人）所说：“国家根本大法，等于具文。”所以这样的原因，自然是因为我国几十年来外面受着帝国主义的侵略，内面为封建势力所把持，军阀官僚，私夺政权，袁氏称帝，张勋复辟，直皖战争，直奉战争，南北对立等的把戏，不断发生。民众力量不足，民主政治不能建立，宪法也就不能实施。

第二，我国宪政运动的发生，固然也由于内部的民权运动，最重要的还是为着反抗外来的侵略。清代末期的立宪运动，是因为政府腐败，丧权辱国，要求革新，建立强盛的国家来抵抗侵略。现在我国重新制宪，准备实行宪政，也是为要团结全国力量，来抵抗日寇的进攻。所以宪法不仅由国内的政治斗争而产生，也能由于对外的政治斗争而产生。前面的情形，宪法常常是保障一部分人的利益而对付别的一部分人。后面的情形，宪法常常是结合全民的工具而增强国家的力量。今天我们在抗战中制宪，就有着后一种的意义和作用。

第三，宪法不仅是军事结束后所应有，也是军事期间所需要。因为现代战争，不是决定于一二人的体力，不是决定于一部分的武器，而是决定于全国民的力量，全国家的力量。这全体的力量，正需要大家的协和一致。况且我国今日抗战，不是几个人的私事，是全国一心求生存争独立的战争，它本身就是民主性的，全体性的。宪法能结合全民增强国力，正是抗战的一个重要武器。所以对于侵略的独裁的军事，宪法不会帮助它，对于革命的，民主的战争，宪法正有助于它。今日我国要在抗战中来实行宪政，就是这个道理。

这三点意义，虽然在各国也是有的，但在今日民国情形中，更表现得充分。这是我们研究中国宪法和宪政的人所必须了解的。

二 “五五宪草”研究

“五五宪草”是要以国民政府的名义，提交今年十一月十二日开会的国民大会去讨论的宪法草案。通过以后，就要实施，关系于我国的政治前途甚大。现在政府也曾声明过，大家对于这宪草有什么意见，将来都可提交国民大会去讨论。因此，我们对于“五五宪草”，要特别加以研究。

“五五宪草”和“训政时期约法”一样，是由中国国民党所制定的。不但起草的是训政政府的立法院，而且宪草的原则也是党的中央所决定。立法院制定的初稿，经过党的中央全会及全国大会两次修正后，才作为正式的草案，由国民政府公布。宪草的内容，也完全根据中国国民党的主义和政策，在它的前言上就说明“遵照创立中华民国之孙先生之遗教，创兹宪法”。所以“五五宪草”的精神，大部分就是中国国民党的精神。

国民党的三民主义是我国建国的主义，其目的在造成民有，民治，民享的国家。就是将来我们的国家，必须彻底实现中山先生的民族主义，民权主义，民生主义；不但国家主权要属于人民，还要由人民来管理，给人民来享受。所以我们研究“五五宪草”，首先要依据这三民主义的根本精神；其次，也要顾到现在制宪的特殊需要，就是它起草时是在抗战以前，现在正是抗战中间。

先从民族问题说起。民族主义的内容，“一则中国民族自求解放，二则中国境内各民族一律平等”。“五五宪草”中有“中华民国各民族，均为中华国族之构成分子，一律平等”的规定，这实现了民族主义。国内各民族一律平等的原则，是它的第一特点。但在今天来看，觉得这规定还欠具体，也有些不足。因为今天我们受着日本帝国主义的侵略，领土不少被践踏着，汉奸卖国贼在敌人手下活动，成立起伪满洲国，伪蒙古国，现在南京还有汪政权。这不但表示敌人在进行分裂运动，打算以华制华，还利用着我们国内的民族问题。我们的宪法中不但要把我们的领土列举出来，明白规定“领土不得变更”，表示我们抗战到底，收回失地的决心；还得把国内的民族政策，明白揭示出来，具体的规定着，以团结各族同胞。中山先生曾经说过：“辛亥以后，不幸中国之政府乃为专制余孽之军阀所盘据，中国旧日之帝国主义，死灰不免复燃，于是国内诸民族因以有机陧不安之象，遂使少数民族疑国民党之主张亦非诚意。”目前，日寇正在煽动挑拨，利用满洲、蒙古的一部分野心分子，作脱离祖国的行为，我们如不表示特别扶助满蒙同胞，允许自治的诚意，那许多同胞，难以团结在我们的抗战国策下来的。所以宪法上必须承认国内民族自决权及目前各边地的相当自治，方才能表现出民族主义的精神，合乎抗战的要求。

再从民权问题来说。中山先生把政治的权力分为人民的权力和政府的权力两部分。人民的权力称为政权，有选举、罢免、创制、复决四种。政府的权力称为治权，分为立法、行政、司法、考试、监察五种。为什么人民要有四种政权？中山先生说："行政的官吏，人民固然要有权可以选举，如果不好的官吏，人民要有权可以罢免。"同时"大家看到一种法律，以为是很有利于人民的，便要有一种权，自己决定出来，交到政府去执行，关于这种权，叫做创制权"。"大家看到了从前的旧法律，以为是很不利于人民的，便要有一种权，自己去修改，修改好了之后，便要政府执行修改的新法律，废止从前的旧法律，关于这种权，叫做复决权。”为什么选举权之外，还要罢免权呢？中山先生说：“人民有了这两个权，对于政府中的一切官吏，一面可以放出去，又一面可以调回来，来去都可以从人民的自由，这是好比新式的机器，一推一拉，都可由机器的自动。”复决权的道理也是一样。“人民有了这四权，才算是充分的民权，能够实行这四权，才算是彻底的直接民权。”

“五五宪草”中规定四权的行使，为人民的权利。并规定对于中央的政权，由国民大会执行，对于地方则行使直接民权。这是“五五宪草”的第二特点。

不过国民大会对于选举、罢免两权的范围太小，连司法、考试两院的院长也不在内。创制、复决的权力，如何行使，也完全没有规定。是否这两种权力也包括着监督行政的权力在内呢？如果国民大会不能监督政府的重大行政，人民的权力便嫌太小了。其次，国民大会开会的时间也太短，它只是三年一次，每次一个月。依照这样的规定，人民的政权，要三年才能行使一次，如三年之间有什么问题发生，只好由政府去了，人民无法干涉。实际上，除开总统、副总统以外，立法院院长，立法委员，监察院院长，监察委员的任期，都只有三年，那么，要罢免他们，只好在三年之后，那时，他们的任期已经满了，不是等于取消了罢免权么？这正如中山先生批评各国的民权一样，选举了议员以后，便一切由议员去做，人民无权再过问。这民权有些欠实在，中山先生是很看重民权的，他以为有了完全的民权，才能有真正的自由平等，也才有了民生幸福，所以宪法上对于民权的行使是应该注意"完全"的，否则便不合于中山先生的遗教。

政府依照五权分立而设立五院的制度，称为五院制度，我国现在的国民政府就是这样实行了。为什么要五院分立呢？因为中山先生很看重监察、考试的两种权。

考试是决定用人的权，如果与行政权合起来，权力太大，政府难免被垄断了；监察是监察官吏，如果与立法权合起来，恐怕因干涉冲突而使立法失了平允。况且考试和监察制度，在我国古来是独立的，成绩也很好，所以中山先生特别创立五院制度。

“五五宪草”上的中央政府，就规定用五院制度。中山先生说过：人民要有权力来节制，政府要有权力来做工。“用人民的四个政权，来管理政府的五个治权，那才算是一个完全的民权政治机构。”这是“五五宪草”的第三特点。

不过五院制度的精神是五院独立，相互平等，都对国民大会负责。中山先生所说的总统，事实上是行政院的领袖，对其他各院是不干涉的。现在宪草上，考试、司法两院的院长是由总统任命，好像他们是属于总统之下，总统变成总握司法、行政、考试的三权了。同时总统得召集五院院长会议，这也使得独立的五院受到限制。其次宪草上的规定，行政院的政务是由行政院长主持，不由总统主持，可是行政院长却不受国民大会的支配，而由总统代负责任，这在责任的负担及政务的监督上说起来，也不甚妥当。

其三从民生问题来说。“五五宪草”上有“国民经济”及“教育”的二章，特别注意着民生主义的实现，是它的第四特点。但对于节制资本、平均地权的规定，总觉得不足，也欠详尽。尤其对于帝国主义者的侵略，如各国所获得的特别利益及特别权利，宪草上没有一点可以作为根据去否定它们的条文。譬如土地永租权、内地设厂权、内河航行权、外货特殊优待等，都应该撤废的，宪草上没有规定。银行、铁路、矿山，是重要的经济事业，应该由国家经营的，现在外国人占有着的很不少，宪草上也没有规定。这是一个缺点。

人民的生活，是中山先生所最注意的，“建国大纲”中规定：“建设之首要在民生。”但宪草中对此点的规定极为简单，而且极为笼统。固然没有苏联宪法那样定得具体确定，就是比《威玛宪法》也不及。“训政时期约法”中规定人民得组织职业团体，国家应实行保护劳工法规，施行劳动保险制度；现在的宪草中没有这样的规定，改为非常笼统空泛的文字。“训政时期约法”中国家得调整或限制人民生活必需品的产销及价格；禁止借贷的重利及不动产使用的重租；宪草中完全见不到了。“耕者有其田”，是中山先生的重要主张，现在宪法上完全没有这原则的表露。总之一句话，宪法中虽然有着“国民经济”的一章，但对于国计民生，并没有怎样具体的表现出中山先生的遗教。“民生主义就是社会主义”，“五五宪草”太缺少社会主义的色彩，也是一个缺点。

以上是就三民主义的精神把宪草的重要内容作了一个研究。现在我们再就目前制宪的目的来研究这一宪草。目前正是抗战的军事时期，所以要制宪法，行宪政，目的在团结民众，增加国力，争取抗战的早日胜利，在前面一节中已经说过了。因为我国现在还在未组织未动员的状态中。今日我们要集中力量以应付抗战，第一必须团结全国上下，向着一个目标，毫无分歧的共同努力；第二必须动员全国民众，不论贤愚贫富，农工商兵，各尽其心思财力；第三必须加紧建设，充实力量，供应战时需要。要完成这三个任务，颁布宪法，实行宪政是必要的。因为有了共守的大法，大家有所信守，上下自然能够团结；实行民权，运用民主精神，民众自然可以动员；规定了经济方针，建设自然合于需要，进行迅速。

为抗战所要求，为争取胜利而制定的宪法，不是保障一部分人的权利和利益，是保障国家的生存独立；不是压迫或拘束那一部人，而是团结全国上下，动员全国民众。现在民权愈发达愈好，自由愈完全愈好，给予民众一分政权，就是增加国家的一分力量。限制了人民的一点自由，就是束缚国家的一点精神。由于抗战的全体性与民主性，我们内部是协和一致，不会有什么矛盾对抗要我们顾忌。我们唯一要加以限制和防范的，就是汉奸卖国贼等破坏抗战的分子。所以为着抗战而施行的宪法，对于革命的民众，要给以完全的自由，充分的民权；对于反革命的汉奸，要完全剥夺其自由和政权。这正是国民党第一次代表大会所宣称："凡真正反对帝国主义之个人及团体，均得享有一切自由及权利；而凡卖国罔民以效忠于帝国主义及军阀者，无论其为团体或个人，皆不得享有此等自由及权利。"完全是中山先生的遗教。但是现在的宪法上没有这样的明白规定。它对于人民的自由权利，加以法律的限制，对于直接民权的行使（就是地方政权）没有明确的办法，是一缺点。同时没有规定剥夺汉奸卖国贼等人的政权和自由，也是一个缺点。这在抗战中的今日，是要在宪法上加以修正的。

至于政权与治权的运用，战时和平时也没有什么本质上的不同。民权的提高并不会减低政府的能力，反之，民众一点没有权力时，政府却最为脆弱，"人民要有权，政府要有能”，这话在战时也是适用的。人民权力和政府能力是正比例的发展着。现在，我们要发挥政府的最大能力，也要提高人民的最大权力。用人民的政权去支持政府的治权，去推动政府的治权，政权愈广大，治权也就愈巩固。只有侵略的战争，独夫的战争，才是畏惧民权，需要独裁专制来对付人民的反对。全体性、民主性的抗战是民众所需要，也需要有力的人民来拥护它，战时缩减民权的主张，在我们的抗战中是不适用的。

其次抗战以来，全国妇女所尽的力量很不小，她们在许多方面都表现出和男子一样热诚、勇敢、有能力、不惜牺牲的精神，今后为动员女同胞来参加抗战，宪法上对妇女予以男子同样的权利，也是必要的。现在的宪法虽没有限制妇女的权利，从条文上看，男女是平等的，但由于历史和社会的关系，实际上妇女会受到限制，宪法还得积极的规定保护女权，给予妇女以经济上、教育上的特别便利。

此外如《抗战建国纲领》各条，都是战时的主要国策，虽然是有时间性的，但宪法并不是千年不变，它的内容也一样有着时间性，这纲领的精神，是应该收入现在的宪法内去。其他抗战以来的新变化新要求，自然也该加以考虑容纳。总之，我们现在制宪，最要紧的目的是为着抗战需要，那么，一切为抗战而产生的新的要素，就是战时宪法的要素。

三民主义的精神和抗战的需要，是目前宪法的根本内容，这二点是必须注意，也是我们所必须研究的。至于其他值得讨论的还很多，譬如“五五宪草”最后一章的施行办法，有好几条是应该修改或删除的。不过这些，读者在看了本书以后再去看宪草原文，一定可以知道，这里不多说了。

最后的话，宪法是国家的根本大法，固然要求其尽善尽美，但最要紧的，制法要能行法，如果不能实行，有了尽善尽美的宪法也是没有意思，过去的历史够我们看了。现在我们为着增强国力争取抗战胜利而制宪，是国家存亡所系，必须培养起民主力量，法治精神，上下协力，使真正的宪政，能早日实现。

关于宪法的进修书目

张慰慈——《宪法》

刘平——《宪法知识读本》

张知本——《宪法论》

朱采真——《党法新论》

白鸥飞——《宪法及宪政》

章渊若——《现代宪政论》

郑斌——《民主主义的新宪法》

郑斌——《社会主义的新宪法》

张仲实——《苏联新宪法研究》

王世杰——《比较宪法》

项桂荪——《最近世界各国政治组织》

吴经熊　黄公觉——《中国制宪史》

平心——《各国革命史讲话》

全民抗战社——《宪政运动参考材料（一）（二）》

全民抗战社——《宪政运动论文选集》

邹韬奋　张友渔等——《我们对于“五五宪草”的意见》

各国宪法集

三联经典文库第二辑简目

《游击战教程》　明凡 / 著

《游击战术纲要》　陶剑青 / 编著

《汪精卫卖国的理论与实践》　钱俊瑞 / 著

《抗战以来》　韬奋 / 著

《陕行纪实》　楚云 / 著

《随军散记》　沙汀 / 著

《被日寇囚系半载记》　王研石 / 著

《倭营历险记》　房沧浪 / 著

《活跃的新西北》　田影 / 编著

《保卫华北的游击战》　刘清扬　陈北鸥等 / 著

《徐州突围》　《徐州突围》编委会 / 编

《沦亡的平津》　长江　小方等 / 著

《淞沪火线上》　胡兰畦等 / 著

《瞻回东战场》　长江　罗平 / 著

《东线的撤退》　胡兰畦等 / 著

《抗战中的西北》　徐盈 / 著

《鲁闽风云》　徐盈等 / 著

《西线生活》　西北战地服务团集体创作

《中国解放区见闻》　［美］福尔曼著 / 朱进译

《全面抗战论》　潘汉年 / 著

《日本的间谍》　范士白自述 / 尊闻译

《日本大陆政策的真面目》　国难资料编辑社 / 编

《民众动员论》　李公朴 / 著

《中国外交史》　钱亦石 / 编著

《太平洋军事地理》　蒋震华 / 著

《世界经济地理讲话》　思慕 / 著

《列强军力论》　［德］马克斯 · 威纳尔著 / 宾符　仲持　梅益等译

《近代国际关系史》　张铁生 / 著

《太平洋现势手册》　沈志远　石啸冲 / 编著

《近代世界政治史》　钱亦石 / 著

《从战争到和平——一九四五年的世界政治》　乔木 / 著

《战后日本问题》　思慕 / 著

《最近一年间的国际动态（1946.7—1947.6)》　《东北日报》社 / 编

《论政党》　翟放 / 著

《法与宪法》　韩幽桐 / 编著

《中华民国宪法刍议》　罗家衡 / 著

《民主 · 宪法 · 人权——作之民》　费孝通 / 著

《宪法论初步》　潘念之 / 著

《对反民主的抗争》　韬奋 / 著

《农村改进的理论与实际》　江恒源 / 著

《上海产业与上海职工》(上下)　　朱邦兴　胡林阁　徐声 / 合编

《陶行知教育论文选辑》　　陶行知著 / 方与严编

《中国通货膨胀论》　　杨培新 / 著

《中国及其未完成的革命》　　H·普拉特著 / 蒋天佐译

《中国的建设问题与人的训练》　　卢作孚 / 著

《论中国特殊性及其他》　　艾思奇 / 著

《中国经济问题讲话》　　钱俊瑞　徐雪寒　王渔邨　姜君辰
骆耕漠 / 合著

《中国经济的道路》　　许涤新 / 著

《中国财政之病态及其批判》　　孙怀仁 / 著

《官僚资本论》　　许涤新 / 著

《五四运动之史的评价》　　陈端志 / 著

《中国通史简编》(上下)　　中国历史研究会　范文澜 / 主编

《论文学的工农兵方向——读〈在延安文艺座谈会上的讲话〉》
雪苇 / 著

《中国近代史（上编　第一分册)》　　武波 / 编著

《文学百题》　　傅东华 / 编

《中国史学之进化》　　周谷城 / 著

《论民族形式问题》　　胡风 / 著

《论批评》　　荃麟等 / 著

《中国史纲》(第一卷上下、第二卷上下)　　翦伯赞 / 著

《近代中国思想学说史》(1-4)　　侯外庐 / 著

《中国政治思想史》（上下）　　吕振羽 / 著

《中国哲学史纲要》　　向林冰 / 著

《中国政治史讲话》　　钱亦石 / 著

《中国社会经济史纲》　　王渔邨 / 著

《新财政学大纲》　　千家驹 / 著

《太平天国革命运动论文集——金田起义百周年纪念》

华北大学历史研究室 / 编

《理性与自由——文化思想批评论文集》　　胡绳 / 著

《战斗者的诗人》　　黄药眠 / 著

《国语文法》　　曹朴 / 著

《教育哲学》　　张栗原 / 著

《妇女问题讲话》　　杜君慧 / 著

《婚姻 · 子女 · 继承》　　沙千里 / 著

《性教育新论》　　布士克　雅各生合著 / 董秋斯译

《狱中杂感》　　杜重远 / 著

《七人之狱》　　沙千里 / 著

《爱迪生传》　　伍况甫 / 译

《歌德自传》（上下）　　歌德著 / 思慕译

《尼赫鲁自传》　　［印度］尼赫鲁著 / 毕来译

《列宁传》　　［苏］凯尔任采夫著 / 企程　朔望译

《罗斯福总统传》　　C. Mackenzie 著 / 张尚之译

《托尔斯泰传》（1–3）　　［英］阿尔麦 · 莫德著 / 徐迟译

《革命文豪高尔基》 ［美］亚历山大·康恩著 / 韬奋编译

《鲁迅纪念特辑》 新中国文艺社 / 编

《回忆鲁迅先生》 萧红 / 著

《人民文豪鲁迅》 平心 / 著

《亡友鲁迅印象记》 许寿裳 / 著

《鲁迅思想研究》 何干之 / 著

《鲁迅研究》 夏征农 / 编

《过来的时代：鲁迅论及其他》 雪峰 / 著

《电影戏剧表演术》 洪深 / 著

《日常心理漫谈》 ［美］约瑟夫·查斯特罗著 / 曾宝施译

《心理常识漫话》 朱智贤 杨云美 / 著

《读书的方法与经验》 王任叔 / 著

《美国黑人生活纪实》 ［美］加德维尔 斯坦倍克著 / 董秋斯译

《初访美国》 费孝通 / 著

《事业与成功》 ［美］马尔腾著 / 汪原放译

《萍踪寄语（初集）》 韬奋 / 著

《一生的幸福前途——〈生活周刊〉信箱选集》 生活书店 / 编选

《深刻的印象》 生活周刊社 / 编

《海外的感受》 生活书店编译所 / 编